Holland

Gerard Croné

Holland

Terschelling
Groningen
Franeker
Harlingen
Sneek
Assen
Rolde
Hinde-
Loopen
Sloten
Lemmer
Den
Oever
Ysselmeer
Opmeer
Enk-
huizen
Meppel
Schermer
Hoorn
De Rijp
Purmerend
Marken
Broek in Waterland
Zaanse
Schans
Ymuiden
Durgerdam
Amsterdam
Randmeren
Muiden
Schiphol
Achterhoek
Bollen
streek
Spakenburg
Leiden
Amersfoort
Scheveningen
Aarlam-
derveen
Den Haag
Lunteren
Rotterdam
Betuwe
Kinderdijk
De
Linge
Nijmegen
Zeeland
brug
Heusden
Den
Bosch
Arnemuiden
Yerseke
Oirschot
Eindhoven
Tongelere
Maastricht

Holland

Een volk dat leeft bouwt aan zijn toekomst. Het staat te lezen op het monument dat de plaats markeert waar in 1932 het laatste gat in de Afsluitdijk werd gedicht, de dijk die de Zuiderzee afsloot en daarmee Nederland weer een overwinning deed behalen op de zee, de erfvijand van eeuwen. Nederland - of Holland, want onder die naam is het in het buitenland beter bekend - heeft, wilde het als volk aan zijn toekomst bouwen, vanaf de vroegste tijden het water moeten bevechten. Reeds uit de vroegste tijden zijn er sporen te vinden van dijkbouw. Een zeer groot gedeelte van Nederland ligt dan ook onder de zeespiegel; soms zeer diep, zoals een polder bij Rotterdam, die met 6,6 meter onder de zeespiegel het diepste punt van Nederland is. Het zou echter verkeerd zijn te veronderstellen dat heel Nederland een plat vlak is. Het heeft ook heuvels. Evenmin bestaat heel Nederland uit weiden. Het heeft nog dertien procent bos bijvoorbeeld. En om nu meteen maar nog een paar sprookjes uit de wereld te helpen: op klompen lopen nog maar zeer weinig mensen in Nederland, de windmolens draaien nog, maar er zijn er stukken minder dan wordt voorgespiegeld, de bloembollenvelden bloeien niet eeuwig en Hansje Brinker, het jongetje, dat met zijn vingertje in de dijk het land van de ondergang behoedde, heeft nooit bestaan. Puur fantasie.
De werkelijkheid is echter mooier dan de fantasie. Want Holland bestáát, mét zijn klompen, mét zijn bollenvelden, mét zijn schat aan overblijfselen uit een rijke historie, met statige patriciërshuizen aan een dromerige gracht in de hoofdstad Amsterdam, met een in het groen verscholen boerderijtje ergens in de provincie, met zijn weidse rivieren, zijn wereldhavens, zijn mensen van allerlei slag, dynamisch, vrijheidslievend, cultuurrijk. De werkelijkheid van elke dag is mooier dan de folder-fantasie.
Nederland heeft zo'n kleine veertien miljoen inwoners, die leven op ongeveer 34.200 km² en toch nog ruimte hebben om te fietsen, met 3.000.000 auto's te rijden, in alle rust te land en te water te recreëren, te leven. Veertien miljoen Nederlanders, die over de hele wereld naam hebben gemaakt. Gunstig soms, vaak ook ongunstig. De schilders van de gouden eeuw, Rembrandt en zijn tijdgenoten, waren tot ver over de landsgrenzen bekend, de slavenhandelaren ook. Veertien miljoen die door de buitenlanders vaak bewonderd werden, maar ook fel gekritiseerd. Om maar eens een Engelse ambassadeur uit de zeventiende eeuw te citeren, sir William Temple: "Holland is een land, waar de Aarde beter is dan de Lucht, en Winst meer aanzien geniet dan Eer, waar meer Verstand dan Geest te vinden is, meer goed Humeur dan goede Humor, en meer Rijkdom dan Plezier, waar men liever zou willen Reizen dan Leven, waar meer dingen zijn om in Acht te nemen dan om te Begeren, en meer Eerbiedwaardige dan Beminnelijke mensen."
Sindsdien is de Nederlander veranderd en met hem zijn land. Nog is de aarde beter dan de lucht, de aarde die voor mens en dier voortreffelijke voedingsgewassen oplevert. Hoe zouden anders de Hollandse boter en de kaas wereldberoemd hebben kunnen worden en de Nederlandse bloembollen? Over de beroemde tulpen uit Amsterdam gesproken, waarvan de export in de vele miljoenen guldens loopt: ze komen eigenlijk uit Turkije. In de zestiende eeuw werden ze in Holland ingevoerd. Toen werden er fantastische bedragen voor een tulpebol neergeteld. Er gaat zelfs het verhaal dat aan het einde van de zeventiende eeuw een huis in het Noordhollandse stadje Hoorn werd verkocht voor drie tulpebollen. Ook in de Tweede Wereldoorlog werden er fantastische bedragen voor een tulpebol neergeteld, vanwege zijn voedingswaarde.
Winst geniet nog steeds aanzien, evenals in sir William Temples tijd. Te ontkennen dat de Hollanders een neringdoend volkje zijn met toch misschien wel iets te veel van de gruttersmentaliteit zou de waarheid te kort doen zijn. Reeds vroeg in de geschiedenis hebben zij alle zeeën bevaren, met verre streken als Japan en China handel gevoerd, en al handelend een koloniaal rijk geschapen, waarvan dan nu misschien niets meer over mag zijn, maar waarvan de sporen nog overal te vinden zijn. Tot in de talen van de landen waarmee handel werd gedreven toe. Het Russisch kent verscheidene woorden - vooral op nautisch gebied - die rechtstreeks uit het Nederlands zijn overgenomen. En zelfs in

het Japans komt men Nederlandse woorden tegen, zoals tarappo, dat trap betekent. Die gloriejaren uit de geschiedenis zijn voorbij. Het neemt niet weg dat de nering de Hollander in het bloed is blijven zitten.
Dat de Hollander echter de winst boven de eer zou laten gelden is zeker niet waar als het gaat om de eer aan het opperwezen. Slechts een twintig procent is niet bij een kerkgenootschap aangesloten. 40 procent is katholiek, 28 procent is Nederlands Hervormd, 9,5 procent is gereformeerd. Daarnaast is er nog een breed scala van kleinere kerkgenootschappen waarbij de rest is aangesloten.
Een ding kan de overbeschaafde sir William Temple de Nederlanders zeker niet meer verwijten: dat ze gebrek aan cultuur zouden hebben. De Hollandse meesters: Jeroen Bosch, Rembrandt, Vermeer, Potter, van Gogh, Mondriaan, Breitner, Karel Appel en vele anderen, zijn wereldberoemd. Daarnaast zijn er meer dan driehonderd musea waar de cultuurschatten van het eerste begin tot nu toe worden bewaard. En vormen de ongeveer duizend molens die Nederland nog kent niet elk een museum op zich? Een Nederlands landschap is immers niet meer in te denken zonder molens. Ooit hebben er in Nederland een tienduizend molens gestaan, die hielpen in de strijd tegen het water. Als er ergens een polder moest worden drooggelegd, werd er een dijk aangelegd, daaromheen een kanaal. Dan werden op de dijk de molens gebouwd die het water uit de droog te leggen polder in het kanaal moesten pompen. Soms voor een droogleggerij dertig tot veertig molens! Niet alleen echter voor het leegmalen van polders werd de windkracht gebruikt. Er zijn ook nog fraaie graanmolens, houtzaagmolens, oliepersmolens, verfmolens enzovoort.
Toch nog even over vriend en vijand water gesproken. Nederland heeft geleerd met het water te leven. De Hollanders hebben het water, de rivieren en zeeën gebruikt als vervoermiddel, als medium om waren te vervoeren. Datzelfde water hebben ze moeten bestrijden omdat het soms een vijand was, die onverbiddelijk hard kon toeslaan. Zoals op 19 november 1421, toen de Elizabethsvloed 65 dorpen overspoelde, waarbij er tienduizend slachtoffers vielen. Of in het recente verleden, in de nacht van 1 februari 1953, toen er tweeduizend slachtoffers vielen omdat op 68 plaatsen de dijken doorbraken door een ongekend samenspel van springvloed en een storm van welhaast orkaankracht.
De overstromingramp van 1953 is de aanleiding geweest voor een in de hele wereld uniek plan, het Deltaplan, dat door een ingenieus geconcipieerde aanleg van dijken, de stromen die gevaar op zouden kunnen leveren voor de toekomst afsluit. Weer is de waterwolf aan banden gelegd, zoals dat eerder met de Zuiderzee gebeurde. Want Nederland wil leven en bouwt op deze manier aan zijn toekomst.

In deze korte inleiding is veel te weinig gezegd over Holland en de Hollanders. Zo zijn niet eens de haringkarretjes genoemd en de draaiorgels en de kleding van de Volendammer en Marker vissers. Het is niet erg, want dat zijn die dingen die men, gaande door Nederland vanzelf ontdekt. Dit fotoboek biedt slechts een globale rondgang door een prachtig land. De open plekken moeten nog worden ingevuld. En dat is de moeite waard. De moeite van het zelf met open ogen beleven van Nederland.

Holland

"A living people works at its future"; one can read this inscription on the monument marking the place, where in 1932 the last gap in the Afsluitdijk was closed. This dam closed off the Zuiderzee and made Holland gain yet another victory over its archenemy, the sea. In order to work at the future as a people, the Netherlands - or Holland, as it is better known abroad - have had to fight the water from the very beginning. There are traces of dykeconstructions dating from the earliest days. A large part of Holland lies below sea-level, sometimes very low indeed, as near Rotterdam, where there is a polder 6.6 m. below sea-level, the lowest place in the Netherlands. It would be wrong, however, to think that all of the Netherlands is flat. There are hills as well. Neither is Holland all green fields. 13% of its land is still wooded. To make short shrift of some more fairytales: very few people still wear cloggs, there still are working windmills, but far fewer than one is made to believe, the bulbs aren't in flower all the time and Hansje Brinker, the boy with his thumb in the dyke to save the land from flooding, never existed. Pure fantasy.
Reality though, has more beauty than fantasy. Because Holland exists, with its windmills, with its cloggs, with its bulbfields, with its treasure of memories of a rich past, with stately patrician houses on a dreamy Amsterdam canal, with a remote little farm, half hidden behind some trees, with its imposing rivers, its international ports, its dynamic, freedomloving people and its rich culture. Everyday reality is more beautiful than holiday-pamphlet fantasy.
Holland has a population of about 14 million, living on roughly 34.200 square kilometers of land, where they still find space to cycle, drive 3.000.000 cars, enjoy their leisuretime in peace and quiet on land and water, in short to live. Fourteen million Dutchmen who made a name for themselves all over the world. A good name in some cases, a bad name in others. The "Golden Age" painters, Rembrandt and his contemporaries, were famous far over the borders, so were the slavetraders! Fourteen million, often admired and as often strongly criticised by the outside world. To quote (in present-day English) an English 17th century ambassador, Sir William Temple: "Holland is a country where the Earth is better than the Air and where Profit meets with more respect than Honour, where one finds more common sense than Spirit, more good humor than sense of humor and more Riches than Pleasure, where one would rather travel than live, where there are more things to observe than to desire and more people to respect than to like".
Since those days the Dutch have changed and with them their country. The earth is still better than the air, the earth which yields excellent foodcrops for man and beast. How else could Dutch butter and cheese have become worldfamous, not to speak of Dutch tulips and other bulbs. Talking of "Tulips from Amsterdam", with an export of many millions of guilders, they really come from Turkey! They were imported in Holland in the 16th century. At that time people paid fantastic prices for a tulipbulb. The story goes that towards the end of the 17th century, a house in the little town of Hoorn was sold for three tulipbulbs. Again, more recently, during World War II, incredible sums of money were paid for tulipbulbs, this time because of their food value.
Profit is still respected, just as in Sir William Temple's time. It would be beside the truth to state that the Dutch aren't a people of small traders with perhaps a shade too much of the narrowmindedness often associated with that. They sailed the seas from the earliest times in history, traded with far-away countries like Japan and China and created a colonial empire in the process. Even though nothing remains of the empire itself, traces of it can still be found everywhere. In the languages of tradingpartners for instance. Take Russian, which has several words - specially nautical ones - taken straight from the Dutch language. Even in Japanese one comes

across Dutch words, such as "tarappo" from the Dutch "trap", meaning stairs. Those glorious years are in the past, which doesn't mean that trading isn't in the Dutchman's blood any longer.
What certainly isn't true though, is that the Dutch would put profit above honour, certainly where the honour of the Highest Being is concerned. Only about 20% of the population isn't affilliated to a church; 40% is Roman Catholic, 37% is protestant or Dutch Reformed. Besides these there is a wide range of smaller religious groups, each with their own church. One thing the over-refined Sir William Temple can no longer accuse the Dutch of: a lack of culture. Dutch painters like Jeroen Bosch, Rembrandt, Vermeer, Potter, Van Gogh, Mondriaan, Breitner, Karel Appel, and many others are famous all over the world. Art treasures, both old and modern, are to be seen in more than 300 museums; and isn't each of the roughly 1000 windmills still in existence a museum in its own right, essential part as they are of the Dutch landscape? There used to be 10.000 of them, helping in the fight against the water. Whenever a "polder" had to be reclaimed a dyke was built, a canal dug around it and on the dyke windmills were built to pump the water out of the lake, that polder-to-be. Sometimes as many as 30 to 40 windmills were needed for one polder.
Windpower wasn't used for land-reclamation purposes only though. One can still see fine flour-mills, sawmills, oilpress-mills, paintmills, etc. One more word about the water, friend and foe of the Dutch. Holland has learnt to live with it. They have used the water, the rivers and the sea as means of transport. They have had to fight that same water because at times it was an enemy that could deal merciless blows. As on November 19,1421, when the Elisabeth-flood drowned 65 villages and 10.000 people. Or more recently, in the night of February 1st, 1953, when 2000 people drowned because the dykes broke through in 68 places, due to a rare combination of hurricane-force gales and springtide. The 1953 floods were the cause of a unique plan, first of its kind in the whole world, the Delta-plan. This Delta-plan will, by the use of ingenious dyke-constructions, close all sea-arms that could put the land around them at risk in the future. Again the old enemy, the water, has been chained down, as happened before with the Zuiderzee. Because Holland wants to live and in this way it works at its future.

In this introduction much too little has been said about Holland and the Dutch people. We didn't even mention the herring-stalls and the street-organs, the costumes of Volendam and Marken. This doesn't mater as they are the very things you will discover for yourself as you travel around Holland. This photo-book only offers a general view of a splendid country. Empty pages are there to be filled in. And that is worth the effort. The effort of experiencing Holland with eyes wide open.

Holland

"Ein Volk, das lebt, baut an seiner Zukunft". So lautet die Inschrift auf einem Denkmal an der Stelle, an der 1932 die letzte Öffnung im "Afsluitdijk" gedichtet wurde, dem 32 km langen Deich, der die Zuidersee von der Nordsee abdämmt und damit den Niederlanden aufs neue zu einem Sieg über das Meer, den Erbfeind von alters her, verhalf. Holland, wie das Land jenseits seiner Grenzen meist genannt wird, hat von jeher gegen das Wasser kämpfen müssen, wollte es sich als Volk eine Zukunft schaffen. Bis in die graue Vorzeit hinein finden sich Überbleibsel von Deichbauten; liegt doch ein grosser Teil Hollands unter dem Meeresspiegel, manchmal sehr tief, wie ein Polder bei Rotterdam, der mit 6,6 m unter dem Amsterdamer Normalpegel der tiefstgelegene Punkt der Niederlande ist.

Holland ist aber nicht nur ein einziges grosses Flachland, es hat auch hügelige Landschaften. Ebenso wenig besteht es aus Wiesen; beispielsweise hat es noch dreizehn Prozent Wald. Und um noch andere verkehrte Vorstellungen über das Land aus der Welt zu schaffen: auf Holzschuhen laufen fast nur noch die Bauern auf dem Feld; zwar drehen sich noch Windmühlen, aber nur sehr viel weniger, als oft vorgespiegelt wird, die Blumenfelder blühen nicht ewig, und Hansje Brinker, der seinen Finger in ein Loch im Deich steckte und damit das Land vor dem Untergang behütete, ist nur eine Phantasiegestalt.

Die Wirklichkeit ist aber schöner als die Phantasie. Denn es gibt Holland wirklich - mit seinen Mühlen, Holzschuhen, Blumenfeldern, den zahllosen Überresten seiner reichen Vergangenheit wie den stattlichen Patrizierhäusern an verträumten Grachten in der Hauptstadt Amsterdam, seinen kleinen Bauerngehöften unter Bäume geduckt irgendwo in der Provinz, seinen weiten Strömen, seinen Welthäfen, seinen Menschen, dynamisch, sich der Tradition freiheitlicher Gesinnung bewusst, für die Holland von jeher eintritt. Die Wirklichkeit des Alltags ist reicher als die Phantasie aller Werbeschriften.

Die Niederlande haben fast 14 Millionen Einwohner, die auf ihren etwa 34 200 Quadratkilometern doch noch Raum finden zum Radfahren, zum Autofahren mit drei Millionen Wagen, sich in aller Ruhe zu Lande und zu Wasser zu erholen, zu leben. Vierzehn Millionen Holländer, von denen sich viele in der Welt einen Namen gemacht haben, sei es in rühmlichem oder auch in unrühmlichem Sinn. Die Maler des "Goldenen" siebzehnten Jahrhunderts, Rembrandt und seine Zeitgenossen, wurden bis weit über die Landesgrenzen hinaus bekannt - ebenso aber auch die Sklavenhändler. Vierzehn Millionen, die vom Ausland oft bewundert, oft aber auch heftig kritisiert werden, um nur einen Botschafter aus dem siebzehnten Jahrhundert, Sir William Temple, zu zitieren: "Holland ist ein Land, in dem die Erde besser ist als die Luft und Gewinn ein höheres Ansehen geniesst als Ehre, in dem mehr Verstand zu finden ist als Geist, mehr gute Laune als guter Humor und mehr Reichtum als Vergnügen, wo man lieber herumreisen möchte als leben, wo es mehr Dinge gibt, die es zu befolgen gilt als zu begehren, und mehr achtbare als liebenswerte Menschen".

Seit jener Zeit hat sich der Niederländer verändert und mit ihm sein Land. Doch noch immer ist die Erde besser als die Luft, die Erde, die für Mensch und Tier vorzügliche Nahrung hervorbringt. Wie hätten sonst Butter und Käse aus Holland, wie hätten die holländischen Blumenzwiebeln in der ganzen Welt bekannt werden können? Über die berühmten Tulpen (übrigens nicht aus Amsterdam!) gesprochen, die alljährlich in zahllosen Millionen Exemplaren in alle Welt gehen: sie kommen eigentlich aus der Türkei. Als sie im sechzehnten Jahrhundert in Holland eingeführt wurden, zahlte man für eine Zwiebel phantastische Beträge. Es wird selbst erzählt, dass am Ende des siebzehnten Jahrhunderts in dem nordholländischen Städtchen Hoorn für drei Tulpenzwiebeln ein ganzes Haus verkauft wurde. Auch im zweiten Weltkrieg wurden unwahrscheinliche Beträge für eine Tulpenzwiebel gezahlt wegen ihres hohen Nährwertes...

Gewinn geniesst noch immer hohes Ansehen, wie schon in Sir William Temples Zeit. Es hiesse der Wahrheit Gewalt antun, wollte man leugnen, dass die Höllander ein Volk von vielleicht etwas kleinbürgerlichen Händlern sind; aber dieser

Händlergeist hat denn doch dazu geführt, dass sie schon früh in der Geschichte alle Weltmeere befuhren, mit fernen Ländern wie Japan und China Handel trieben und aus diesem Handel ein Kolonialreich aufbauten, das, wenn es auch heute nicht mehr besteht, doch bis in die Landessprache dieser Handelspartnerländer hinein überall Spuren hinterlassen hat. So wurden holländische Worte, vor allem auf nautischem Gebiet, beispielsweise ins Russische übernommen. Sogar im Japanischen begegnet man niederländischen Ausdrücken, wie "tarappo" für "trap" (Treppe). Wenn auch die für Holland so glorreichen Zeiten vorbei sind, dem Holländer liegt der Handel doch noch immer im Blut.

Dass ihm aber Gewinn über Ehre gehen sollte, ist sehr sicher nicht wahr, wenn es um die Ehrerbietung gegenüber dem Göttlichen geht. Nur zwanzig Prozent der Niederländer ist keiner Kirche angeschlossen; vierzig Prozent ist katholisch, etwa ebenso viel protestantisch. Daneben gibt es noch viele kleinere Glaubensgemeinschaften.

Eines kann der so gebildete Sir William Temple den Holländern ganz sicher nicht mehr vorwerfen: dass es ihnen an Kultur mangle. Niederländische Meister wie Jeroen Bosch, Rembrandt, Vermeer, Potter, van Gogh, Mondriaan, Breitner, Karel Appel und viele andere geniessen Berühmtheit in der ganzen Welt. Daneben gibt es mehr als dreihundert Museen, die die Kulturschätze des Landes von ihren ersten Anfängen an bis zum heutigen Tage hüten. Und sind nicht die ungefähr tausend Mühlen, die Holland noch besitzt, jede ein Museum für sich? Lässt sich doch eine niederländische Landschaft nicht mehr ohne Mühlen vorstellen. Einst gab es in Holland zehntausend Mühlen, die im Kampf mit dem Wasser eingesetzt wurden. Musste irgendwo Polderland - unter dem Meeresspiegel liegendes Gebiet - trockengelegt werden, wurde ein Deich angelegt und um den Deich herum ein Kanal. Auf dem Deich wurden dann die Mühlen gebaut, um mit Windeskraft das Wasser des Polderlandes in den Kanal zu pumpen. Manchmal waren dreissig bis vierzig Mühlen nötig, um ein solches Stück Land trockenzulegen und trocken zu halten. Aber nicht nur hierzu wurde die Windkraft genutzt. Es sind auch noch schöne Getreidemühlen erhalten geblieben, Holzsägemühlen, Mühlen zum Ölpressen, und zu noch anderen Zwecken.

Und wenn wir schon einmal bei Freund und Feind Wasser sind: Holland hat es gelernt, mit dem Wasser zu leben. Die Holländer haben sich des Meeres, der Flüsse und Seen als Transportmedien bedient. Gegen das gleiche Wasser haben sie sich zur Wehr setzen müssen, als es als grausamer Feind zuschlug. So überspülte am 19. November 1421 die Elisabethsflut 65 Dörfer, wobei zehntausend Menschen umkamen. Und vor nicht so langer Zeit, in der Nacht des 1. Februar 1953, verursachte ein bisher in diesem Ausmass noch nicht vorgekommenes Zusammenfallen von Springflut und orkanartigem Sturm an 68 Stellen Deichdurchbrüche, die zweitausend Opfer forderten.

Die Sturmflutkatastrophe gab den Anstoss zu einem in der ganzen Welt einzigartigen Projekt, dem inzwischen weitgehend verwirklichten Rheindeltaplan, der durch ingeniös entworfene Deichanlagen die Ströme abdämmt, durch die erneut Meereseinbrüche zu befürchten wären. Wieder wurde die Gefahr einer Wassersnot gebannt, wie dies bereits mit der Abdämmung der Zuidersee geschehen war. Auch hier baut Holland an seiner Zukunft.

In diesen kurzen Abschnitten konnte nur Weniges gesagt werden über Holland und die Holländer wie über das, was es im Lande an Charakteristischem zu sehen gibt. Nicht einmal die Heringkarren wurden erwähnt und die Drehorgeln und die Trachten der Volendammer und Marker Fischer. Aber dies sind gerade die Dinge, die man, Holland durchwandernd, von selbst entdeckt. Das vorliegende Photobuch kann nur wie ein flüchtiger Rundgang durch ein herrliches Land sein; die offenen Stellen müssen noch ergänzt werden. Und das ist der Mühe wert - der Mühe, Holland mit offenen Augen selbst zu erleben.

"Un peuple qui vit construit son avenir". Cette phrase, on peut la lire sur le monument érigé à l'endroit, où fut comblée en 1932 la dernière brèche de la digue de fermeture du Zuiderzee, événement qui marque pour la Hollande une nouvelle victoire sur la mer, l'ennemie ancestrale. Pour pouvoir construire leur avenir, les Hollandais ont dû lutter contre les eaux depuis les temps les plus reculés: on retrouve des vestiges de digues de date fort ancienne. Aussi, une très grande partie du territoire néerlandais est-elle située en-desous du niveau de la mer, parfois même à de grandes profondeurs, comme un polder de la région de Rotterdam qui se trouve à 6,6 mètres sous niveau: c'est le point le plus bas des Pays-Bas.
Il ne faut pas croire, pour autant que toute la Hollande n'est qu'une grande plaine: elle a aussi des collines. Et les prairies ne couvrent pas toute la surface, car treize pourcent sont des terrains boisés. Et pour démythifier certaines autres méprises: très peu de Hollandais vont encore en sabots; nous avons toujours des moulins à vent, mais beaucoup moins qu'on ne dit: les champs de fleurs ne fleurissent pas en permanence et Hansje Brinker, le petit garçon qui aurait sauvé le pays du désastre en tenant son doigt dans la digue, n'a jamais existé autrement qu'en imagination.
Cependant, la réalité est plus belle que l'imagination. Car la Hollande existe, avec ses moulins, ses sabots, ses champs de fleurs, ses riches vestiges d'un passé glorieux, ses imposantes demeures patriciennes qui se mirent dans les canaux de la capitale, ses fermes blotties dans les bocages d'un coin de province, ses fières rivières, ses ports mondiaux, sa population de gens dynamiques, indépendants, héritiers d'une riche culture. La réalité de tous les jours est plus belle que tous les contes bleus des dépliants touristiques.
Les Pays-Bas ont quelque quatorze millions d'habitants sur un territoire de 34.200 km², où ils circulent en vélo ou en voiture (3.000.000 d'autos), se délassent sur l'eau et au sol, où ils vivent, enfin. Quatorze millions de Néerlandais qui se sont fait dans le monde entier une réputation, tantôt bonne, tantôt mauvaise. Nos peintres du dix-septième siècle étaient connus dans le monde entier, nos marchands d'esclaves aussi. Quatorze millions de Néerlandais, souvent admirés par les étrangers, mais aussi cruellement critiqués. Citons, à ce propos, l'opinion de Sir William Temple, ambassadeur britannique du dix-septième siècle: "La Hollande est un pays, où le sol est meilleur que l'air, où le gain vaut plus que l'honneur, où l'on trouve plus de raison que d'esprit, plus de bonne humeur que d'humour et plus de richesse que de plaisir, où l'on préfère y voyager qu'à y vivre, où il y a plus de règlements que de sujets de convoitise et où les hommes sont plutôt respectables qu'aimables."
Depuis lors, le Hollandais a changé et avec lui son pays. Le sol est toujours meilleur que l'air, le sol qui produit d'excellentes cultures vivrières pour l'homme et le bétail. Comment expliquer sinon la réputation mondiale du beurre et des oignons à fleurs de Hollande. A propos de nos célèbres tulipes d'Amsterdam qui atteignent un chiffre d'exportation de plusieurs millions, il faut dire qu'elles proviennent de la Turquie. Importées en Hollande au seizième siècle, leurs oignons valaient à l'époque des sommes folles. On raconte même qu'à la fin du dix-septième siècle une maison fut vendue à Hoorn, en Hollande septentrionale, pour trois oignons de tulipe. Plus récemment, pendant la seconde guerre mondiale, on donnait de fortes sommes pour un oignon de tulipe á cause de sa valeur nutritive.
Tout comme au temps de Sir William Temple, le gain est toujours en faveur. Nier que les Hollandais sont un peuple de négociants, un peu trop épiciers de mentalité, serait faire entorse à la vérité. Ils ont de longue date navigué sur toutes les mers du monde, fait du commerce avec des pays lointains, comme la Chine et le Japon, et créé ce faisant un empire colonial, dont il

ne reste sans doute plus rien aujourd'hui, mais dont on retrouve partout les vestiges, jusque dans les langues des pays avec lesquels ont traitait des affaires. Le russe connaît divers termes empruntés au néerlandais, surtout dans le vocabulaire nautique. Il n'y a pas jusqu'en japonais, où l'on ne rencontre des mots néerlandais, comme "trappo", qui veut dire escalier (trap). Ces temps glorieux de l'histoire appartiennent au passé, mais cela n'empêche que le Hollandais a gardé le goût des affaires dans le sang.
Que le gain prévaut sur l'honneur pour le Hollandais, n'est certes pas exact en ce qui concerne le culte de l'être suprême. Vingt pourcent seulement de la population n'appartient pas á l'une ou l'autre église: quarante pourcent de catholiques, 40 pourcent de protestants, et le reste fait partie d'une grande diversité de congrégations religieuses plus petites.
Il est une chose que le raffiné Sir William Temple ne peut plus reprocher aux Néerlandais: leur manque de culture. Les maîtres de l'école hollandaise: Jérôme Bosch, Rembrandt, Vermeer, Potter, Van Gogh, Mondriaan, Breitner, Karel Appel et tant d'autres, sont célèbres dans le monde entier.
Nous avons en outre plus de trois cents musées, où est conservé notre patrimoine culturel, des premiers temps jusqu'à nos jours. Et que dire des plusieurs milliers de moulins: ne sont-ils pas chacun un musée miniature? S'imagine-t-on un paysage hollandais sans moulins? Jadis ils étaient dix mille, engagés dans la lutte contre l'eau. Lorsqu'il y avait quelque part un polder à assécher, on commençait par construire une digue circulaire, entourée d'un canal. Des moulins étaient ensuite implantés sur la digue pour pomper l'eau du jeune polder et la déverser dans le canal. Les batteries d'assèchement comptaient parfois jusqu'à quarante moulins! Mais la force du vent n'était pas uniquement utilisée pour les projets d'assèchement. On trouve encore en Hollande de beaux moulins à blé, des moulins de scierie, des moulins à huile, des moulins à peinture etc.
Quelques mots encore sur l'eau, notre amie et notre ennemie. Les Hollandais ont appris à vivre avec l'eau. Ils s'en sont servis de voie de transport pour acheminer leurs marchandises, sur les rivières et sur les mers. Ils ont dû aussi lutter contre l'eau qui parfois se faisait leur ennemie frappant sans merci. Le 19 novembre 1421 les eaux vives engloutirent 65 villages noyant dix mille personnes. Ce désastre est connu dans l'histoire sous le nom de "Elizabethvloed". Plus récemment, dans la nuit du 1er février 1953, les digues s'étant rompues à 68 endroits, par une marée d'équinoxe accompagnée d'une tempête furieuse du type ouragan, deux mille personnes furent la proie des eaux.
Les inondations de 1953 ont donné naissance à l'idée du Plan Delta, projet sans précédent dans le monde, qui comprend un ingénieux système de digues fermant les bras de mer qui présentent une menace pour l'avenir. Cette fois encore, comme dans le projet du Zuiderzee, le démon des eaux est maîtrisé. Car la Hollande veut vivre et c'est ainsi qu'elle construit son avenir.

Cette brève préface dit beaucoup trop peu de choses sur la Hollande et les Hollandais. Rien sur les marchands de hareng, rien sur les orgues de barbarie, rien non plus sur les costumes des pêcheurs de Volendam et de Marken. Mais ce n'est pas grave, car c'est un genre de choses que le touriste aime découvrir lui-même en faisant le tour du pays. Cet album de photos ne donne qu'une vue d'ensemble d'un joli paysage. C'est au touriste de combler les lacunes. Notre beau pays de Hollande mérite qu'on le contemple avec des yeux attentifs.

ANNO
Reederij Boekel

Amsterdam, stad van grachten . . .
Amsterdam, city of canals . . .
Amsterdam, Stadt der grossen und kleinen Grachten . . .
Amsterdam, ville de canaux . . .

en van geveltjes / and old gabled houses / und der heimeligen alten Giebel / et de vieux pignons

Amsterdam, waar een draaiorgel speelt,
Amsterdam, where a street organ plays,
Amsterdam, wo die Drehorgel spielt,
Amsterdam, où jouent les orgues de barbarie,

feestlicht de eeuwen accent geeft
illuminations accentuate an age gone by
jahrhundertealte Bauten festlich aufleuchten
les illuminations font parler les siècles

en bomen dromen langs het water / and the trees dream alongside the water / und Bäume am Wasser dahinträumen / et où les arbres se mirent dans l'eau

Amsterdam, met zijn paleis op de Dam
Amsterdam, with its royal palace on the Dam
Amsterdam mit seinem Palast auf dem Dam
Amsterdam avec son Palais sur le Dam

en zijn Concertgebouw
and its Concertgebouw
und seinem Concertgebouw
et son Concertgebouw

Amsterdam, stad aan de Amstel, met de magere brug
Amsterdam, city on the Amstel with "de magere brug"
Amsterdam, Stadt an der Amstel, mit seiner "Magere brug"
Amsterdam, ville sur l'Amstel, avec son "Magere brug"

en huizen uit een ver verleden / and houses of a far away past / und Häusern aus längst vergangenen Zeiten / et des maisons d'un lointain passé

Amsterdam, met Schiphol, waar de trekvogels neerstrijken / Amsterdam, with Schiphol airport where the silverbirds settle / Amsterdam, mit seinem Flughafen Schiphol, wo sich die "Zugvögel" niederlassen / Amsterdam, où à Schiphol viennent se poser ces grands oiseaux

KLM
PH-DTF
KLM
Royal Dutch Airlines
KLM

SIMSON
UMUIDEN

Kleine kinderen die spelen aan het strand
Small children playing on the beach
Wie spielen sie friedlich, die Kinder am Strand
Des enfants jouant sur la plage

IJmuiden, poort naar de zee
IJmuiden, gateway to the sea
IJmuiden, Pforte zur Nordsee
IJmuiden, porte ouverte sur la mer

Langs de Zaan, in de Zaanse Schans, is de rijkdom van het verleden,
molens en huizen, bijeengebracht
Alongside the river "Zaan", at the "Zaanse Schans" the riches of the past, windmills and houses, have been brought together
An "der Zaan", bei der "Zaanse Schans", finden wir den Reichtum einer vergangenen Epoche, sorgfältig unterhaltene Mühlen und typisch Zaanländer Häuser
"Le Zaanse Schans", où moulins et maisons d'autrefois font revivre le folklore
de la région du Zaan

Broek in Waterland, en . . .
Broek in Waterland, and . . .
Broek in Waterland, und . . .
Broek in Waterland, et . . .

Durgerdam, Hollandser kan het niet
Durgerdam, Dutcher than Dutch
Durgerdam, noch holländischer ist es kaum denkbar
Durgerdam, image classique de la Hollande

Graft de Rijp, het raadhuis is uit 1613
Graft de Rijp, the townhall dates from 1613
Graft de Rijp, das Rathaus wurde 1613 erbaut
Graft de Rijp, la mairie date de 1613

Marken, traditioneel vissersdorp
Marken, traditional fishing village
Marken, traditionelles Fischerdorf
Marken, village de pêcheurs traditionnel

Opmeer. Prijzen voor de beste koeien / Opmeer. Prizes for the best cattle / Opmeer. Auszeichnungen für die besten Kühe / Opmeer. Les vaches primées

Purmerend. Op de veemarkt onderhandelen de boeren / Purmerend. At the cattle market the farmers negotiate / Purmerend. Auf dem Viehmarkt handeln die Bauern die Preise aus / Purmerend. Le marché aux bestiaux: les fermiers aux affaires

Molens, molens, molens. Want Holland maakte van water land en moest dat drooghouden. Hier in de Schermer / Windmills everywhere. Because water was turned into land and has to be kept out. Here in the "Schermer" polder / Mühlen, Mühlen, Mühlen, denn Holland muss das Land trocken halten, das es dem Wasser abgewann. So wie hier mit Mühlenpumpwerken im Polderland "Noordhollandse Schermer" / Des moulins, partout des moulins.Car les Hollandais ont conquis leur pays sur la mer et les polders doivent être épuisés. Ici, le Schermer, polder de la Hollande du Nord

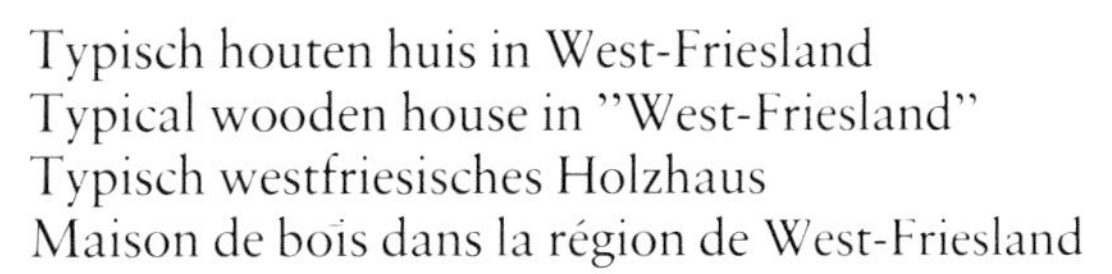

Typisch houten huis in West-Friesland
Typical wooden house in "West-Friesland"
Typisch westfriesisches Holzhaus
Maison de bois dans la région de West-Friesland

De markt in Hoorn
The market in Hoorn
Der Markt in Hoorn
Hoorn : le marché

WONINGINRICHTING

Enkhuizen, stadje aan de vroegere Zuiderzee
Enkhuizen, small town on the former "Zuiderzee"
Enkhuizen, Städtchen an der ehemaligen "Zuiderzee"
Enkhuizen, petite ville sur l'ancien "Zuiderzee"

De haven van Enkhuizen
Enkhuizen, the harbour
Hafen von Enkhuizen
Le port d'Enkhuizen

In de haven van Den Oever liggen de vissersschepen
"Den Oever", fishingboats
Fischerboote im Hafen von "Den Oever"
La flotte de pêche dans le port "Den Oever"

Op Terschelling. Rust en stilte / Peace and quiet on the island "Terschelling" / Auf "Terschelling" herrscht noch Stille / Silence paisible à l'île de "Terschelling"

HA93

Vissersvloot van Harlingen
Fishingfleet of Harlingen
Fischereiflotte von Harlingen
La flotte de pêche de Harlingen

Een Friese boeier
A frisian "Boeier"
Friesischer "Boeier"
Un "boeier" frison

Friese stadjes met een rijk verleden. Franeker / Frisian towns with a rich past. Franeker / Zahlreiche friesische Städtchen - wie hier Franeker - haben eine reiche Vergangenheit / Petite ville de Frise au passé glorieux: Franeker

Hindeloopen, een van de gaaf bewaarde IJsselmeerstadjes
Hindeloopen, one of the well-preserved towns along the IJsselmeer / Hindeloopen, eines der noch gut erhaltenen IJsselmeerstädtchen / Hindeloopen, ville côtière du "Zuiderzee" bien conservée

Skûtsjes, vroeger handelsschepen voor de binnenwateren, nu plezierschepen. Eenmaal per jaar bestrijden ze elkaar sportief bij het skûtsjessilen / "Skûtsjes", in the past tradingships on the inland waterways, now used as pleasure craft. Once a year there is a regatta called "skûtsjessilen" / "Skûtsjes", früher Handelsschiffe für die Binnengewässer, heute zu Erholungsfahrten benutzt. Einmal im Jahr suchen sie sich beim sportlichen "Skûtsjessilen" den Rang abzulaufen / "Skûtsjes", autrefois employé dans la batellerie, aujourd'hui bateaux de plaisance, se rencontrant une fois par an dans le "Skûtsjessilen", un concours sportif

De Waterpoort in Sneek / The "Waterpoort" in Sneek / Die "Waterpoort" (Wasserpforte) in Sneek / Sneek: la "Waterpoort" (porte d'eau)

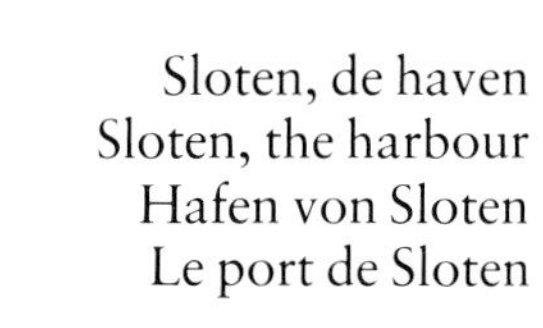

Sloten, de haven
Sloten, the harbour
Hafen von Sloten
Le port de Sloten

Watersport op de
Friese meren
Aquatics on the frisian lakes
Wassersport auf den
friesischen Seen
Sport nautique sur les
lacs frison

In Sloten bleef het verleden bewaard
In Sloten the past is preserved
In Sloten lebt die Vergangenheit noch in unseren Tagen
Vestiges du passé à Sloten

Langs de haven van Lemmer / Along the harbour of Lemmer / Längs des Hafens von Lemmer / Le long du port de Lemmer

Het Groningse land met statige boerderijen
Stately farms in Groningen
Das Groninger Land mit seinen stattlichen Bauernhöfen
Belles fermes du pays de Groningen

Schapen, kenmerk van Drenthe / Sheep, characteristic of Drenthe / Schafe, Kennzeichen von Drenthe / Les moutons de Drenthe

Assen, hoofdstad van de provincie / Assen, capital of Drenthe / Assen, Hauptstadt der Provinz Drenthe / Assen, chef-lieu de cette province

Verdoken boerderijen en een kerk die het dorp Rolde beheerst / Hidden farms and a church, dominating the village Rolde / Bauernhöfe, die sich unter Bäume ducken (Rolde), und eine Kirche, die das Dorfsbild beherrscht / Rolde, fermes cachées dans les arbres et une église dominant le village

Hunebedden, getuigen uit de steentijd
Hunebeds, stone-age tombs
Hünengräber, Zeugen der Steinzeit
Tombeaux mégalithiques, témoins de l'âge de pierre

Meppel

Het IJsselmeer, de vroegere Zuiderzee
The "IJsselmeer", the former "Zuiderzee"
Das "IJsselmeer", die ehemalige "Zuidersee"
L' "IJsselmeer", autrefois "Zuiderzee"

De randmeren, dorado voor vissers / These lakes are a fisherman's paradise / Die nach der Neulandgewinnung übriggebliebenen Randseen, Paradiese für Sportangler / Les lacs côtiers, eldorado des pêcheurs à la ligne

Aan de boerderijen kent men de provincies. Er zijn verschillende types, stolpboerderijen, kop-hals-rompboerderijen enz. Ze hebben een ding gemeen: ze tekenen met de molens het Hollandse landschap
There are various types of farms, characteristic for the different provinces
An der Verschiedenartigkeit des Bautypus ihrer Bauernhöfe lassen sich die Provinzen erkennen
Chaque province a son type de ferme caractérisant le paysage avec les moulins

HERA

Spakenburg is een
vissersplaats gebleven.
De oude schepen varen nog
Spakenburg remained a
fishing village, the old ships
still in use
Spakenburg ist Fischerdorf
geblieben. Immer noch
fahren die alten Schiffe aus
Spakenburg est toujours un
port. Les vieilles barques de
pêche sont encore en usage

Sneeuw op de Veluwe.
Lunteren / The woods near Lunteren on the Veluwe under a blanket of snow / Schneedecke über der Veluwe-Landschaft bei Lunteren / Le Veluwe sous la neige: Lunteren

Amersfoort, centrumstad van Nederland
Amersfoort, in the heart of Holland
Amersfoort, im Herzen der Niederlande gelegen
Amersfoort, nœud de communications des Pays-Bas

De rivieren zijn de wegen van oudsher, overspannen door bruggen. Nijmegen
The rivers are the roads of the past, with bridges to span them, Nijmegen
Die Flüsse, von alters her als Strassen dienend, von Brücken überspannt, Nijmegen
Les fleuves, voies de communication ancestrales, enjambées par des ponts. Nijmegen

Rivierenland. Nijmegen
Land of rivers. Nijmegen
Nijmegen am Ufer des Waal
Nijmegen sur les bords du Waal

Goederen worden per schip her en der vervoerd
Merchandise transported by ship everywhere
Überallhin befördern Frachtschiffe ihre Lasten
En Hollande, le trafic des marchandises se fait souvent par eau

Bossen, de longen van Nederland
Woods, the lungs of Holland
Wälder, die Lungen der Niederlande
Les bois, poumons verts du pays

en boomgaarden in de Betuwe
and orchards in the "Betuwe"
und Obstplantagen in der "Betuwe"
et des vergers dans la région du "Betuwe"

Boerderijtjes tussen bloeiend fruit. Betuwe
Small farms among the blossoms. Betuwe
Kleine Bauernhöfe zwischen blühenden Obstbäumen
in der Betuwe
Fermettes parmi les arbres fruitiers en fleurs: le Betuwe

De hei bloeit nog in Limburg. Boeren bewerken de rijke grond
Heather in bloom in Limburg, farmers cultivate the rich land
Die Heide blüht in Limburg, Bauern arbeiten auf fruchtbarem Boden
La bruyère en fleurs au Limburg, paysans travaillant le sol fertile

De Helpoort in Maastricht, stad met een rijke historie
The "Helpoort" in Maastricht, city with a rich history
Die "Helpoort" in Maastricht,
Stadt voll historischer Reichtümer
La "Helpoort" à Maastricht, ville au riche passé historique

Limburg in de sneeuw
Limburg in the snow
Auch im Schnee
ist Limburg schön
Limburg sous la neige

In het Brabantse Tongelre een oude watermolen, energie uit een snel vlietende beek
In Tongelre (province of Brabant) an old watermill: energy from a fast running stream
Alte Wassermühle in Tongelre (Nordbrabant), ein rauschender Bach schenkt die Energie
Un vieux moulin à eau alimenté par un ruisseau de grand débit, à Tongelre dans le Brabant

Eindhoven lichtstad. Het Evoluon
Eindhoven, City of light, The Evoluon
Das "Evoluon" in der Lichtstadt Eindhoven
Eindhoven, siège de Philips: le musée Evoluon

Vlak erbij Oirschot, landelijk / Nearby Oirschot, pastoral scene / In der Nähe liegt Oirschot, noch völlig ländlich / Paysage champêtre aux environs de Oirschot

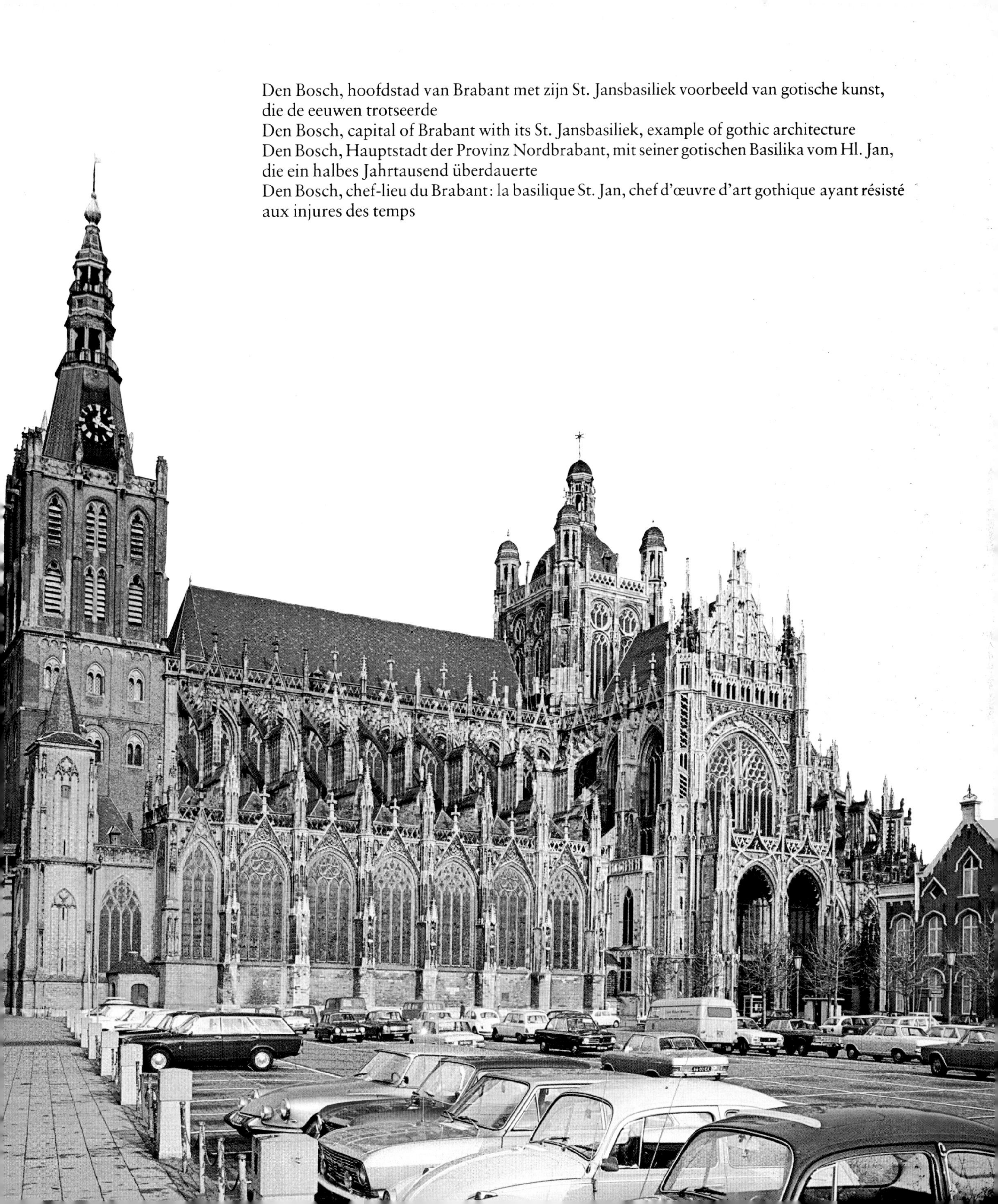

Den Bosch, hoofdstad van Brabant met zijn St. Jansbasiliek voorbeeld van gotische kunst, die de eeuwen trotseerde
Den Bosch, capital of Brabant with its St. Jansbasiliek, example of gothic architecture
Den Bosch, Hauptstadt der Provinz Nordbrabant, mit seiner gotischen Basilika vom Hl. Jan, die ein halbes Jahrtausend überdauerte
Den Bosch, chef-lieu du Brabant: la basilique St. Jan, chef d'œuvre d'art gothique ayant résisté aux injures des temps

DEMER
82-VL-09

Stadskern van Heusden
Centre of Heusden
Stadtkern von Heusden
Noyau urbain de Heusden

Langs de Lingedijk
Along the Lingedyke
Längs des Deiches der
romantischen Linge
Le long de la Lingedijk

De stranden in Zeeland. Belangrijke recreatieoorden
Beaches in Zeeland. Important centres of recreation
Seelands Strände zählen heute zu den
beliebtesten Ferienzielen
Les plages de Zeeland, riches en villégiatures

De Zeelandbrug die
Schouwen-Duiveland met
Noord-Beveland verbindt
The Zeelandbrug, connects
Schouwen-Duiveland with
Noord-Beveland
Die Zeelandbrücke, die die
Inseln Schouwen-Duiveland
und Nordbeveland
miteinander verbindet
Le Zeelandbrug, pont
reliant les îles
Schouwen-Duiveland à
Noord-Beveland

ARM-24

Arnemuider vissers en schepen / Arnemuider fishermen and ships / Arnemuider Fischer und ihre Schiffe / Pêcheurs et bateaux à Arnemuiden

De haven van Ierseke
The harbour of Ierseke
Der Hafen von Ierseke
Le port de Ierseke

Rotterdam, wereldhaven
Rotterdam, international port
Rotterdam, Welthafen
Rotterdam, le plus grand port du monde

waar schepen zich aaneenrijen
where ships line the docks
in dem zahllose Schiffe ihre Frachten laden und löschen
où accostent les bateaux en rangs serrés

DAI957
EIN
R50456N
1954B ROTT
1927
2504954

Rotterdam, waar het verleden nog leeft in Delftshaven
Rotterdam, where the past is still found in Delftshaven
Rotterdam, wo in Delftshaven das Vergangene
noch lebendiges Heute ist
Rotterdam, où le passé est encore vivant à Delftshaven

en de binnenstad
weer is opgebouwd
and the city has been rebuilt
und die Innenstadt
neu erstand
et où le centre
a été reconstruit

Een Zuidhollandse molen in de sneeuw
a windmill (Zuid-Holland) in the snow
Südholländische Mühle im Schnee
Un moulin hollandais sous la neige

en in poëtisch avondlicht
by night
und im poetischen Abendschimmer
et à l'heure du crépuscule

De molens van Kinderdijk en ijsvermaak
The windmills of Kinderdijk and fun on the ice
Die Mühlen von Kinderdijk; Eisvergnügen
Les plaisirs de l'hiver dans la région de Kinderdijk

De houtzaagmolen bij Leiden
a saw-mill near Leiden
Die Sägemühle bei Leiden
Le moulin-scierie aux abords de Leiden

Hollands landschap bij Aarlanderveen. Een molen, koeien, een dromerig paard, een boezemwater, een dijk een weidehek, Hollandser kan het nauwelijks
Dutch scenery near Aarlanderveen
Holländische Landschaft bei Aarlanderveen. Eine Mühle, Kühe, ein träumerisches Pferd, ein liebliches Gewässer, ein Deich, ein Wiesenzaun, Holland, wie viele es sich vorstellen
Paysage près d'Aarlanderveen. Un moulin, quelques vaches, un cheval rêveur, un canal de décharge, une digue, la clôture d'un pré, quoi de plus hollandais

Scheveningen met zijn pier, badplaats van . . .
Scheveningen with its pier, seaside resort of . . .
Scheveningen mit seinem Pier, Badeort . . .
Scheveningen et son estacade, plage de . . .

regeringsstad Den Haag
government city Den Haag
der Regierungsstadt Den Haag
la résidence: Den Haag

Vittebrug

het riviertje Het Gijn
River "Het Gijn"
Romantisch schlängelt sich das Flüsschen Het Gijn dahin
Het Gijn au cours sinueux

Stellingmolen in Leiden
"Stelling"mill in Leiden
"Stelling"-Mühle in Leiden
Le moulin dominant la vue
de Leiden

Leiden, sleutelstad, zoals het wapen vermeldt
Leiden, "town of the keys", as its coat of arms shows
Leiden, Schlüsselstadt, wie das Wappen erkennen lässt
Leiden et ses armes aux clés croisées

Leiden, centrum met visbank / Leiden, centre with fishmarket / Leiden, Stadtzentrum. Auf der überdachten Brücke fand früher die Fischversteigerung statt / Leiden, le centre avec criée aux poissons

FIRMA
J.J. GIJZENIJ & CO.
LEIDEN Nº 6
LD.0510
FIRMA
J.J. GIJZENIJ & CO.
LEIDEN
Nº14 L.19
FIRMA
J.J. GIJZENIJ & CO.
LEIDEN
L.19 Nº14

Boven Leiden, op de geestgronden, de bollenvelden. Tulpen, narcissen, hyacinten, gladiolen uit Holland. Ze werden wereldberoemd / Near Leiden the bulbfields. Tulips, daffodils, hyacinths, gladioli. Famous all over the world / Nördlich von Leiden liegen unübersehbare Blumenzwiebelzüchtereien. Tulpen, Narzissen, Hyazinthen, Gladiolen aus Holland, sie wurden weltberühmt / Au nord de Leiden, derrière les dunes: les champs de fleurs. Tulipes, jonquilles, narcisses, jacinthes, glaieuls de Hollande. Ils ont conquis le monde

Weer werd land uit zee gewonnen en verbonden met het vasteland door een brug. Muiden
Again sea became land, connected with the mainland by a bridge. Muiden
Wieder wurde Meeresboden zu Neuland, das eine Brücke mit dem Festland verbindet. Muiden
Muiden. Pont reliant l'ancien pays aux nouvelles conquêtes sur la mer

HOLLAND

ISBN 90 6109 0644
Vormgeving: Loek de Leeuw, Inmerc BV
Produktie: Inmerc BV, Wormerveer
Drukwerk: BV Kunstdrukkerij Mercurius-Wormerveer
Bindwerk: Callenbach BV, Nijkerk